Signora Coltello

Mary Arrigan
a scríobh is a mhaisigh

Seosamh Ó Murchú
a rinne an leagan Gaeilge

Baile Átha Cliath

Caibidil a hAon

'Á, a Mhúinteoir, níl tú i ndáiríre an bhfuil?' arsa Ruairí Ó Briain.

D'fhéach Iníon Uí Thuama air amach os cionn imeall a cuid spéaclaí. 'Cinnte, táim i ndáiríre, a Ruairí,' ar sise. 'Ar chuala tú riamh mé a rá rud ar bith nach raibh i ndáiríre?'

Chuir Ruairí grainc air féin. 'Níor chuala,' ar seisean os íseal. 'Ach crá croí ceart atá ann iarraidh orainn dul chun cainte le seandaoine. Bíonn siad mantach agus bíonn cnapáin ar a lámha. Iad ag caint mar gheall ar rudaí a tharla na milliúin bliain ó shin. Bíonn siad chomh leamh leadránach sin . . .'

'Bhuel, ní bhíonn an chuid eile againn ag caitheamh anuas ar sheandaoine, an mbíonn?'

'Ní bhíonn,' arsa an rang d'aon ghuth ach bhí a fhios ag Ruairí nach raibh siad ach á rá sin chun go mbeadh droch-chuma airsean.

'Agus tá aonach siamsaíochta ar an mbaile,' arsa Ruairí agus é ag féachaint timpeall le súil go bhfaigheadh sé tacaíocht ó dhuine éigin. Ní bhfuair.

'Beidh an t-aonach ann ar feadh na seachtaine. Beidh neart ama chun gach rud a dhéanamh,' arsa Iníon Uí Thuama.

'Seachtain na Seanóirí a bheidh ann an tseachtain seo chugainn agus is ceart rud éigin a dhéanamh ar son na seandaoine. Ar aon nós, is féidir mórán a fhoghlaim ó bheith ag éisteacht le seandaoine.'

'Sea,' arsa Ruairí, 'an praghas a bhí ar bhuilín aráin i 1940. Agus an chaoi nach mbíodh leithreas ar bith acu ach botháin amuigh i mbun an ghairdín agus in áit páipéar leithris bhí páipéar nuachta a stiallfadh do thóin. Sea, mar a dúirt mé – leadránach. Nach bhféadfá cuimhneamh ar rud éigin a mbeadh píosa craic ag baint leis?'

Chroith Iníon Uí Thuama a ceann. 'Sin é atá socraithe agam agus sin sin. Na daoine a dhéanfaidh an t-agallamh is suimiúla le seanduine is iad a gheobhaidh réalta órga na seachtaine. Agus mar go bhfuil leath lae againn inniu is féidir libh tosú láithreach bonn. In bhur mbeirteanna a bheidh sibh ag obair. A Mhíne, féadfaidh tú féin agus Ruairí a bheith ag obair le chéile.'

Chlúdaigh Míne a haghaidh lena dhá lámh. 'Á, ní féidir é,' ar sise agus í cráite. 'Cén fáth ar roghnaigh tú mise le dul in éineacht leis? Díreach mar gur comharsana béal dorais sinn? Cuirfidh an Ruairí sin as mo mheabhair mé.'

Tháinig straois ar aghaidh Ruairí. Ba í Míne an cara ab fhearr a bhí aige agus thuig sé nach raibh sí ach ag magadh.

'Tá an ceart aici,' ar seisean. 'Agus cuirfidh mé seanduine ar bith as a mheabhair chomh maith. Táim á rá leat. A Mhúinteoir, tabhair rud éigin eile dúinn le déanamh. Agallamh a chur ar pheileadóir nó ar phopréalta éigin, go háirithe duine éigin a mbeadh tatúnna air! Ba bhreá liom labhairt le duine éigin faoina chuid tatúnna.'

Scairt gach duine sa rang amach ag gáire.

'Ar chuala sibh rud chomh hamaideach leis riamh?' arsa an Blaoscaire Mac an Bhaird. Tugadh an t-ainm sin air mar gheall ar an dlúthbhearradh gruaige a fuair sé óna Dhaid – bearradh a shábháil airgead an bhearbóra.

'Agus inis dúinn, a Ruairí, cá bhfuil teacht ar na peileadóirí agus ar na meigi-réaltaí tatúáilte seo? An bhfuil *limo* ar bith feicthe agat ar an bpríomhshráid amuigh le déanaí? An bhfuil pálás mór galánta le feiceáil ar an mbóthar agaibhse? Lucht slándála lasmuigh, spéaclaí gréine agus casóga leathair orthu?'

'Sea, bhuel,' arsa Ruairí, agus aiféala air gur dhein sé ceap magaidh de féin.

'Anois, a dhaltaí,' arsa Iníon Uí Thuama, 'bígí múinte le chéile. Socraígí síos. Nuair a rachaidh sibh abhaile is féidir libh fiafraí de bhur dtuismitheoirí an bhfuil aithne acu ar sheandaoine a bhféadfadh sibh labhairt leo. Mamó nó Daideo nó seanghaolta eile libh, dhéanfaidís-sean an gnó.'

Lig Ruairí gnúsacht as, d'ísligh a cheann agus chuir a lámha thart air. Ní raibh gaol ar bith aige sin a bhí sean. Ní raibh ann ach é féin agus a Mham. Agus b'in é an fáth nár theastaigh uaidh aon bhaint a bheith aige leis an tionscadal seo. Ach ní fhéadfadh sé é sin a rá amach os ard. Go háirithe i láthair an Bhlaoscaire.

Bhí cuma na hainnise ar Ruairí agus é ag siúl abhaile in éineacht le Míne. Bhí cuma níos ainnise fós air nuair a chaith an Blaoscaire agus a pháirtí, Bab Mag Uidhir, maslaí leis agus iad ag suí isteach i gcarr sheanleaid Mhig Uidhir.

'Sea, a Bhrianaigh, lean ort agus b'fhéidir go dtiocfaidh tú ar sheanréalta rac a mbeidh tatúnna míle bliain d'aois air. Hath! Sinne a gheobhaidh an réalta órga,' arsa an Blaoscaire. 'Bhí mo sheanathair ar quiozchlár ar an teilí agus beidh neart scéalta le hinsint aige faoi.'

'Sea, agus níor fhreagair sé oiread is ceist amháin,' arsa Míne. 'Chonaic mo Dhaid é. Cuimhnigh air, gan príomhchathair na hIorua a bheith ar eolas aige!'

'Sea, cuimhnigh air,' arsa Ruairí agus súil le Dia aige nach gcuirfeadh sí an cheist chéanna air féin mar nach raibh an freagra aigesean ach oiread. 'An bhfuil seanghaolta ar bith agatsa, a Mhíne?'

Chroith Míne a ceann. 'Níl ann ach mo Mham agus mo Dhaid,' a dúirt sí.

'Ní raibh fágtha ach aon Neana amháin nuair a tháinig siad anseo sular rugadh mise. Ansin fuair sí siúd bás ag baile sa Phacastáin.'

'Bhuel, nach iontach sin anois?' arsa Ruairí agus cuma an-mhíshásta air. 'Seo anois muid, tusa agus mise agus an tionscadal buile seo le déanamh againn agus gan fiú seanduine amháin eadrainn le labhairt leis. Cá bhfaighimid seanduine? Cén fáth nach n-éistfeadh an múinteoir sin liomsa, an seancheann . . .'

'Ó, éirigh as an ngeonaíl,' arsa Míne. 'Tiocfaimid ar dhuine éigin. Tá an-chuid seandaoine timpeall na háite seo.'

'Sea, strainséirí,' arsa Ruairí. 'Conas a d'fhéadfaimis dul suas chuig seanleaid éigin agus a rá leis "Haló, a sheanduine, an miste leat má chuireann Míne agus mé féin roinnt ceisteanna amaideacha ort?" Paltóg faoi bhun na cluaise a gheobhaimis.'

Rinne Míne gáire. 'Níl le cloisteáil uait ach gearán,' ar sí. 'Beir bog ort féin, a

Ruairí. Fan go bhfeicfidh tú, aimseoimid duine éigin. Caithfidh go bhfuil seanduine suimiúil áit éigin ar an mbaile seo.'

'Agus beidh sneachta in ifreann,' arsa Ruairí. 'Bí ag taibhreamh leat, a Mhíne.'

Caibidil a Dó

'Tá cuma na hainnise ortsa, a Ruairí,' a dúirt a Mham leis agus í ag leagan amach líne néata de mhéaróga éisc ar an ngríoscán. 'Cén pus atá ort?'

'Éirigh as, a Mham,' arsa Ruairí agus chaith sé a mhála scoile ar an gcathaoir. 'Ní babaí mé.'

'Tá a fhios agam, a chroí. Cad atá ag cur as duit mar sin?'

Lig Ruairí osna mhór. 'An bhean úd arís,' ar seisean.

Las a Mham an gríoscán. 'Cén bhean? Ná habair go bhfuil fadhb ban agat?'

'Iníon Uí Thuama,' arsa Ruairí. 'Tá sí tar éis tionscadal gránna a thabhairt dúinn le déanamh thar an deireadh seachtaine. Cuimhnigh air! Caithfimid agallamh a chur ar sheandaoine.'

'An-smaoineamh is ea é sin, dar liomsa,' arsa Mam. 'Bíonn seandaoine an-suim- . . .'

'Á, a Mham! Sin díreach an rud a dúirt Iníon Uí Thuama. An as do mheabhair atá tú? Pé scéal é, níl aithne agamsa ar sheanduine ar bith. Nílim chun é a dhéanamh agus sin sin. Is féidir le Míne é a dhéanamh léi féin. Tabhair nóta dom Dé Luain á rá go raibh galar marfach orm ag an deireadh seachtaine. Go raibh spotaí glasa ar gach ball díom, go raibh mé ag cur amach agus gur dath corcra a bhí ar mo chuid aisig.'

Rinne Mam gáire. 'Seans ar bith,' ar sise. 'An mbeidh Míne á dhéanamh seo in éineacht leat?'

'Beidh,' arsa Ruairí.

'Bhuel, mar sin,' a dúirt Mam, 'ní féidir leat í a ligean síos. Nach bhfuil misneach ar bith agat? Má ligeann tú síos í ligfidh tú síos thú féin.'

'Is cuma liom,' arsa Ruairí trína chuid fiacla.

'Déarfaidh na daltaí eile nach bhfuil ionat ach meatachán má éalaíonn tú as an tionscadal,' arsa Mam agus í ag déanamh aithrise ar shicín, mar dhea.

Chroith Ruairí a cheann. 'Is róchuma liom,' ar sé, ach ní raibh sé chomh cinnte sin an uair seo. 'Agus ar aon nós, níl aithne agam ar sheanduine ar bith, mar sin ní féidir liom aon ní a dhéanamh faoi.'

'Ó, ní fadhb ar bith é sin,' arsa Mam. 'Cuirfidh mé glao ar Bheití.' Ba í Beití an cara ab fhearr a bhí ag Mam agus bhí sí ag obair i dteach altranais le haghaidh seandaoine. 'Is cinnte go mbeidh aithne aici sin ar dhaoine a mbeidh tú in ann agallamh a chur orthu. Tá sin socraithe. Anois faigh na miasa sin agus nigh na gréithe.'

Bhuail Míne isteach tar éis an lóin. 'Haigh, a Mhíne,' arsa mathair Ruairí. 'Táim chun glaoch ar chara liom. Déanfaidh sise socrú le duine éigin agus beidh sibh in ann agallamh a chur uirthi i gcomhair an tionscadail atá ar bun agaibh.'

'Go hiontach,' arsa Míne. 'Anois, a Ruairí? Nach ndúirt mé go n-oibreodh gach rud amach i gceart?'

Lig Ruairí cnead as. Ní fhéadfadh sé cúlú as anois. A Mhamaí agus a cuid glaonna . . . ! Cad ina thaobh nach bhfágfadh sí cúrsaí mar a bhí? Bhí drochdheireadh seachtaine roimhe go cinnte.

Caibidil a Trí

'Anois, bíodh fios do bhéas agat istigh anseo,' arsa Míne díreach sular bhrúigh sí cloigín an dorais ag Teach Altranais Naomh Ciarán. 'Seandaoine is ea iad go léir. Ná scanraigh iad agus an pus sin ort.'

'Tá a fhios agam gur sean atá siad,' arsa Ruairí. 'Nach in an fáth a bhfuilimid anseo? Cuirimis dínn é seo chomh tapa agus is féidir. Déarfainn gur básachán ceart atá aimsithe ag Beití dúinn le haghaidh an agallaimh. Is dócha go mbeidh a cuid fiacla ag rince ina béal agus go ndéarfaidh sí linn gur "páistí breátha" sinn agus nach mbeidh le hinsint aici dúinn ach scéalta leadránacha faoi bheith ag cniotáil scaifeanna. Uuchh!' Chuir sé a mhéara siar ina bhéal – ag ligean air go raibh sé ag cur amach.

'Ar a laghad ar bith, tá duine aimsithe againn i gcomhair an tionscadail,' arsa Míne. 'Déanaimis ár ndícheall. Agus má deir tú oiread is rud smeairteáilte amháin, plancfaidh mé thú.'

'Dia dhaoibh.' Bheannaigh Beití, cara Mham, dóibh. 'Nach iontach go deo an tionscadal seo atá ar bun agaibh. Tagaigí isteach, tá an duine ceart aimsithe agam daoibh. Jeiní is ainm di. Níl sí ach díreach tagtha chugainn agus níl mórán ráite aici linn go fóill – b'fhéidir go mbeidh an bheirt agaibhse in ann caint a bhaint aisti.'

'Cad atá i gceist agat?' arsa Míne.

Leath meangadh ar bhéal Bheití. 'Ní deir sí mórán. Ní dhéanann sí ach greim bia a ithe, dul a chodladh agus suí os comhair an teilifíseáin.'

'Go hiontach,' arsa Ruairí go searbhasach. 'Bhí a fhios agam nár cheart dúinn – abhaits!' ar sé nuair a thug Míne sonc sna heasnacha dó.

'Éirigh as, a stumpa,' ar sí go grod.

'Thug Beití síos dorchla geal iad go dtí seomra mór a raibh mórán cathaoireacha boga ann. Bhí seandaoine ina suí iontu go léir. Theann Ruairí isteach in aice le Míne ar eagla go labhródh aon duine de na seandaoine leis.

'Seo í,' arsa Beití agus í ag seasamh os comhair seanmhná a bhí sínte siar sa chathaoir, a béal ar leathadh agus í ina cnap codlata. Ba gheall le flas candaí an folt gruaige a bhí uirthi. 'Seo í Jeiní agus greim docht aici ar a mála, mar is gnách. Ní ligeann sí an mála sin as a radharc riamh agus níl a fhios ag aon duine beo cad atá istigh ann.' Rinne Beití gáire. 'Dúisigh, a Jeiní. Tá cuairteoirí chugat chun ...'

'Tá sé álraidht, a Bheití,' arsa Míne. 'Fág ina codladh í. Táimid sásta fanacht.'

'Maith go leor,' arsa Beití. 'Níl sí ach ag míogarnach. Ba cheart go

ndúiseodh sí i gceann tamaill. Fágfaidh mé sibh mar sin.'

'Cad ina thaobh a ndúirt tú é sin?' a d'fhiafraigh Ruairí de Mhíne agus cuma an-mhíshásta air.

'Céard?'

'A rá go bhfanfaimis. Níl fonn ar bith ormsa fanacht thart anseo go dtí go ndúiseoidh seanchailleach éigin. Agus ní fios cén fad a thógfaidh sé sin. B'fhéidir gur marbh atá sí,' ar sé agus é ag stánadh go mion ar aghaidh Jeiní. 'Cá bhfios duit nach marbh atá sí?'

D'oscail Jeiní leathshúil agus léim Ruairí siar de phreab.

'Cad air a bhfuil tusa ag stánadh, a scraiste?' arsa an tseanbhean de ghlór grod. 'An nós leat a bheith ag stánadh suas an tsrón ar dhaoine agus iad ina gcodladh?' Ansin d'fhéach sí ar a mála agus d'fháisc chuici é. 'Tá súil agam nár bhain tú le mo chuid stuif.' Bhí gliogar éigin le cloisteáil ón mála nuair a rinne sí é sin. Chuir sí a dhá lámh go muirneach timpeall air.

Bhí a bhéal agus a shúile ar leathadh ag Ruairí sa tslí is nach raibh aon oidhre

air ach iasc órga. D'éirigh leis cúpla focal a rá. 'Ní raibh mé ... níor fhéach ...,' a dúirt sé de splutar.

Bheartaigh Míne labhairt ansin. 'Mise Míne agus seo é Ruairí,' ar sí agus shín sí amach a lámh le lámh Jeiní a chroitheadh. 'Tá tionscadal ar siúl againn faoi bheith ag labhairt le . . . le . . .' Bhí sí trína chéile ag iarraidh teacht ar an bhfocal ceart nach mbeadh cuma an mhasla air.

'Le seanduine?' arsa Jeiní agus í ag gáire agus loinnir ina súil. 'Cén t-amadán a dúirt libh tionscadal mar sin a dhéanamh? B'fhearr go mór daoibh labhairt le popamhránaí nó le peileadóir mór le rá éigin.'

'Nach in é a dúirt mé féin go díreach!' arsa Ruairí. 'Dúirt mé le hIníon Uí Thuama é, nach ndúirt a Mhíne?'

'Bhuel, tá an chuma ar an scéal go gcaithfidh sibh cur suas liomsa,' a dúirt Jeiní. 'Cá dtosóimid mar sin? Ach ar dtús caithfidh mé a rá libh nach mbím sásta labhairt faoin am a chuaigh thart ná faoi mo chlann mar níl a leithéid agam.'

Thit tost ar an gcomhluadar. Chuir Míne barr a pinn luaidhe ina béal, á chogaint.

'Bhuel?' arsa Jeiní. 'Is iondúil gurb é a tharlaíonn le linn agallaimh go mbíonn duine amháin ag cur na gceisteanna agus duine eile á bhfreagairt. An múinteoir seo a mbíonn na smaointe aite aici, nár inis sí an méid sin féin daoibh?'

'Níl a fhios agam cén cheist is féidir liom a chur ort,' a d'admhaigh Míne.

'Oireann sin go breá domsa,' a gháir Jeiní. 'Féachaigí seo, a ghasúra, ná cuirimis aon trioblóid orainn féin. Mholfainn daoibh bailiú libh agus sean*lady* éigin a aimsiú, duine a bheadh sásta scéal a hóige a insint daoibh bliain ar bhliain. Ní theastaíonn uaimse ach dul ar ais a chodladh.'

Lig Míne osna aisti agus d'fhéach go truacánta ar Ruairí. Chuir sé as do

Ruairí gur caitheadh ar nós cuma liom leis an gcara ab fhearr a bhí aige.

'Nach tusa atá drochmhúinte,' ar seisean.

'Fuist, a Ruairí,' arsa Míne.

'Ní fhuistfidh mé,' a dúirt Ruairí ar ais léi. 'Bíonn daoine fásta i gcónaí a rá linne a bheith béasach dea-mhúinte. Anois is gá an rud céanna a rá le cuid de na daoine fásta chomh maith.'

D'fhéach sé ar Jeiní. Cheap sé go bpléascfadh sí. Agus phléasc. Le teann gáire.

'Th'anam 'on diabhal,' ar sí. 'Tá an ceart ar fad agat. Is maith liom gasúr a bhfuil sponc ann. Déanfaidh tusa cúis. Seo, tosaímis arís mar sin.'

Ba léir go raibh faoiseamh mór ar Mhíne. Ach sula raibh seans aici tosú ar labhairt le Jeiní arís, chroith Ruairí a cheann.

'Níor theastaigh uaim riamh an t-agallamh lofa seo a dhéanamh,' ar seisean. 'B'fhearr liom go mór a bheith ar an aonach siamsaíochta. Fágfaimid slán agat mar sin, a bhean uasal. Téana ort, a Mhíne.'

'Aonach siamsaíochta?' arsa Jeiní agus

greim aici ar bhóna a chasóige. 'An bhfuil aon mhaith ann mar aonach?'

'Is é an ceann is fearr ar fad é,' arsa Ruairí agus ionadh an domhain air. 'Is féidir dul ar na mílte spraoi-mharcaíocht agus tá roth mór millteach . . .'

'Is leor sin,' arsa Jeiní agus a glór á ísliú aici. 'Tagaigí anseo i leith chugam.'

Scaoil sí a greim ar Ruairí agus theann na páistí isteach léi. 'Ba bhreá liom dul ar an aonach siamsaíochta sin,' ar sí de

chogar. 'Cabhraígí liom éalú amach as an áit seo agus rachaimid go léir ann in éineacht. Maith go leor?'

Thug Míne sracfhéachaint ar Ruairí a d'ardaigh mala an amhrais. Í a bheith drochmhúinte, b'in rud amháin ach ba scéal eile ar fad é í a bheith glan as a meabhair.

Ní dúirt Míne ach 'Cad faoin agallamh?'

'Sea, agallamh!' arsa Jeiní go drochmheasúil. 'Cumfaimid ar an tslí chun an aonaigh é. Raidht mar sin, an bhfuil sibh réidh chuige? Nílim as mo mheabhair,' ar sise ansin amhail is dá mbeadh sí in ann aigne Ruairí a léamh. 'Is mise an duine is stuama san áit seo – na dochtúirí agus an fhoireann san áireamh.'

D'fhéach Míne arís ar Ruairí agus leath meangadh ar a haghaidh.

'Seo linn,' ar sise.

'*Cool*, mar a deir siad anois,' arsa Jeiní agus í ag gáire. 'Buail an cloigín sin, a gharsúin, agus cuirfimid fios ar chathaoir rothaí. Déarfaidh mé go bhfuil sibhse chun mé a thabhairt amach faoin ngrian ar feadh tamaillín. Maith go leor?'

'Go diail!' arsa Ruairí de liú.

Caibidil a Ceathair

'An-smaoineamh,' arsa Beití agus í ag cabhrú le Jeiní suí isteach sa chathaoir rothaí. 'Déanfaidh an t-aer úr an-mhaitheas duit, a chroí. Déanaigí cinnte de go mbeidh sí ar ais in am don tae. Uibheagán agus brúitín a bheidh againn tráthnóna. Agus traidhfil ina dhiaidh sin. Bia breá folláin, a Jeiní. Slán libh anois.'

'Maith sibh!' a dúirt Jeiní. Bhí Míne agus Ruairí á brú rompu síos aibhinne an tí altranais. 'Cé ar domhan a bheadh ag iarraidh bia "breá folláin" mar sin a ithe? An féidir burgar a fháil in aon áit in aice an aonaigh?'

'Is féidir, cinnte,' arsa Ruairí agus gach aon scairt gháire as.

'Togha!' arsa Jeiní. 'Burgar agus sceallóga le haghaidh gach duine mar sin? Gheobhaidh mise iad. Anois, brúigí romhaibh go bhfeicfimid cén luas is féidir a chur faoin gcairt seo.'

'Cad ina thaobh nach féidir leat siúl?' arsa Ruairí. 'An é nach n-oibríonn do chosa in aon chor?'

'Ar mo ghlúine atá an locht,' arsa Jeiní. 'Tá siad fabhtach. Ní féidir aon iontaoibh a bheith agam astu. Nach bocht an scéal é nuair nach féidir do ghlúine féin a thrust.'

'Cén fáth sin?' arsa Míne. 'Cén locht atá orthu?'

'Diúltaíonn siad bogadh agus titimse ar mo bhéal faoi. Glúine nua atá uaim.'

'Glúine nua?' a scairt Ruairí. 'Ag magadh fúinn atá tú! Cá bhfaigheá glúine nua? Níor chuala mé riamh faoi shiopa na nglún.'

'Is fíor,' arsa Jeiní. 'Is féidir glúine miotail a fháil, díreach mar a chuirfeá rothaí nua faoi charr. Dá mbeadh na glúine nua sin agam . . .'

Stop sí agus tháinig cuma bhrónach uirthi.

'Abair leat,' arsa Míne. 'Cén fáth nach bhfaighfeá na glúine miotail sin?'

Chroith Jeiní a ceann. 'Bheinn céad caoga bliain d'aois faoin am a dtiocfadh mo thurnsa ar liosta feithimh an Bhoird Sláinte. Agus tá sé ró-chostasach iad a cheannach go príobháideach. Ní hacmhainn dom féin iad a cheannach.'

Níorbh acmhainn do Jeiní mórán rudaí a cheannach agus bheadh uirthi Teach Altranais Naomh Ciarán a fhágáil faoi dheireadh na míosa agus teacht ar áit ní ba shaoire. Ach ní dúirt sí an méid sin le Ruairí ná le Míne.

'Ach, féach,' ar sí agus aoibh ar a haghaidh an athuair. 'Ná bímis ag caint faoi mo sheanghlúine díoscánacha. Táimid ag dul ar an aonach siamsaíochta. Táim chun a bhfuil fágtha agam de phinsean na míosa seo a chaitheamh ann agus má chuireann sibh i mo choinne, éireoidh mé crosta libh. Is liomsa an t-airgead agus más maith liom é a roinnt le mo chairde nua, bhuel, is é mo ghnó féin amháin é. An bhfuil sibh liom?'

Sméid Míne agus Ruairí a gceann in éineacht. Bhí a fhios acu faoin am seo nach bean í Jeiní a rachfá ag argóint léi.

Bhí láthair an aonaigh ag cur thar maoil le daoine agus an-spórt á bhaint acu as. Bhí an roth mór rompu. 'An Ceann is Mó in Éirinn' a bhí scríofa ar an bhfógra. Bhí *bumpers,* cathaoireacha eitilte, rollchóstair a d'iompaíodh

bunoscionn, agus go leor leor eile a chuirfeadh do chroí i do bhéal.

'Triailfimid iad go léir,' arsa Jeiní de liú. 'Tosóimid leis an rollchóstair sin. Seo libh, cabhraígí liom suí isteach ann.'

Nuair a rinne fear na dticéad iarracht ar stop a chur leis an tseanbhean éirí as an gcathaoir rothaí chun dul ar bord, is amhlaidh a bhuail Jeiní flíp ar a mhéara agus dúirt leis aire a thabhairt dá ghnó féin. Agus nuair ba ghéire an luas a bhí faoin marcaíocht chaith sí a lámh in airde agus lig scread áthais aisti.

Agus í istigh sna *bumpers* tugadh amach di toisc í a bheith ag tiomáint sa treo mícheart.

'A bhean uasal, tá tú in ainm is a bheith ag dul sa treo céanna le gach duine eile,' a bhéic fear a raibh dhá phluc mhóra dhearga air.

'Cén mhaith é sin?' a bhéic Jeiní ar ais leis. 'Is mó go mór an spórt a bheith ag craiseáil isteach i ndaoine eile. Seo ceann sa smut duit, a chairrín lofa!'

Bhuail sí go ríméadach faoi chairrín a bhí os a comhair amach.

Faoin am seo bhí an scéal ag scaipeadh ar fud pháirc an aonaigh go raibh beirt leanaí agus seanbhean i gcathaoir rothaí ag tarraingt ruaille buaille. Gach aon áit a ndeachaigh siad bhailigh slua thart orthu ag bualadh bos agus á ngríosú. Bhí fear amháin i measc an tslua á leanúint thart, áfach. Ar dtús cheap Ruairí gur duine den slua ar nós gach duine eile ba ea é ach thug sé faoi deara ansin nach ag gáire a bhí sé ach ag stánadh roimhe agus muc ar gach mala leis. B'fhearr le Ruairí go n-imeodh sé leis.

'Tá sé siúd ag cur cáithníní ar mo chraiceann,' a dúirt sé le Míne nuair a stop Jeiní chun triail a bhaint as an raon raidhfilí.

'Cén duine?' arsa Míne.

'An boc ait sin a bhfuil croiméal dubh air agus nach ndéanann ach stánadh roimhe,' arsa Ruairí. 'Tá sé dár leanúint le fada.'

Chroith Míne a guaillí. 'Is dócha nach féidir leis a chreidiúint go bhféadfadh seanduine mar Jeiní an oiread sin taitnimh a bhaint as an saol,' ar sise.

'Ach cad ina thaobh a bhfuil sé dár leanúint?' a deir Ruairí. 'Ní maith liom é seo in aon chor.'

Caibidil a Cúig

'Féach, féach cad atá buaite agam,' a bhéic Jeiní agus panda mór groí ina baclainn aici. 'D'aimsigh mé croílár na sprice!'

'Bhabha! Maith thú!' arsa Ruairí agus iontas air. Níor éirigh leis-sean an cárta a aimsiú go fiú agus é i mbun an raidhfil.

'Anois, cad a dhéanfaimid?' arsa Míne. 'Tá beagnach gach uile rud triailte faoin am seo againn.'

'Greim le hithe,' a dúirt Jeiní agus an panda á chur aici anuas ar an mála luachmhar a choimeád sí taobh lena cosa an t-am go léir, fiú agus í ar na marcaíochtaí scanrúla. 'Cá bhfuil áit na mburgar? ÚÚpps! Fanaigí soicind,' ar sí agus a lámha sáite i bpóca a mála aici.

'Céard é féin?' arsa Míne.

'Níl cent rua fágtha agam,' arsa Jeiní. 'Ná bígí buartha, áfach. Brúigí síos go dtí an banc mé agus bainfidh mé amach tuilleadh airgid.'

'An bhfuil tú cinnte?' arsa Míne. 'Nár cheart duit a bheith ag coigilt do chuid airgid chun glúine nua a cheannach?'

Thosaigh Jeiní ag gáire. 'Seans ar bith,' ar sise. 'Lá eile a bheidh ann amárach. Bia a theastaíonn uaim ANOIS! Mar sin, éirigh as an tseanmóireacht! Táim ag baint an-spórt as an lá.'

'Sinne freisin,' arsa Ruairí. Ní bhíodh seisean buartha faoin lá amárach ach oiread. Dá bhrí sin is ag bun an liosta aige a bhí cúraimí mar obair bhaile agus níochán laistiar dá chluasa.

'Ar aghaidh linn mar sin,' arsa Jeiní. 'Dá laghad am a chaithfimid thíos ag an mbanc is túisce a bheimid ar ais.'

Díreach trasna na sráide ón aonach siamsaíochta a bhí an banc. Bhí sé gnóthach mar is gnách ar an Aoine.

'Tá scuaine mhór fhada ann,' arsa Ruairí go míshásta. 'Tógfaidh sé seachtain orainn.'

'Ní thógfaidh ná é,' arsa Jeiní. 'Féachaigí ormsa agus leanaigí oraibh ag brú. Géilligí slí, tá seanbhean i gcathaoir

rothaí ag teacht,' a ghlaoigh sí amach os ard. Sheas gach duine i leataobh go múinte chun ligean don chathaoir rothaí dul thar bráid.

'An-chleas,' arsa Ruairí de chogar. Chaoch Jeiní súil air. Bhí siad anois chun

tosaigh sa scuaine. Agus Jeiní á tarraingt féin i dtreo an chuntair, d'fhéach Ruairí siar ar an slua. Rinne staic de.

'Eisean atá ann!' ar sé de shiosa le Míne.

'Cén duine?' arsa Míne.

Chlaon Ruairí a cheann i dtreo an duine a bhí fós ag stánadh air féin, ar Mhíne agus ar Jeiní.

'An boc ait sin ón aonach,' arsa Ruairí. 'Tá sé inár ndiaidh.'

'B'fhéidir gur comhtharlú atá ann,' arsa Míne. Ach bhí amhras le brath ar a glór.

Go tobann chualathas béiceach agus screadach. Dúnadh doras an bhainc de phlab. Sheas fear a raibh púicín air sa tslí orthu agus níor lig aon duine in aice an dorais. Bhí gunna gráin ina lámh aige. Rith beirt fhear eile a raibh púicín orthu freisin tríd an scuaine agus iad a rá os ard le daoine dul síos ar an urlár. Léim duine acu thar an gcuntar agus thosaigh ag cartadh airgid isteach i mála. D'imigh an duine eile thart agus an t-airgead a bhí daoine ar tí a lóisteáil sa bhanc, bhain sé díobh é. Stop sé ag an gcuntar mar a raibh Jeiní ar tí a cuid airgid féin a chur ina mála. Leath gáire mailíseach ar a bhéal.

'Ná bac é sin a chur sa mhála, a bhean uasal. Tógfaidh mise uait é.'

Díreach agus an bithiúnach ag casadh thart chonaic Ruairí rud geal ag eitilt tríd an aer. An chéad rud eile thug sé faoi deara go raibh an bithiúnach greamaithe de chuntar an bhainc. Bhí scian tar éis dul trí osán a bhríste agus bhí sí sáite in adhmad an chuntair. Ar iompú boise chualathas scian eile á caitheamh leis an mbithiúnach a bhí ag faire an dorais. Trí mhuinchille a

chasóige a chuaigh an scian sin. An lámh leis ina raibh an gunna, bhí sí tairneáilte de dhoras an bhainc. Thit an gunna as a lámh.

Bhí ionadh chomh mór sin ar an robálaí a bhí taobh thiar den chuntar go raibh sé furasta ag foireann an bhainc breith air agus é a chur dá threoir. Bhí gach rud thart chomh tapa sin gur fágadh daoine ina mbalbháin. Bhí a bhéal ar leathadh ag Ruairí agus é ag stánadh ar Jeiní. Bhí scian eile beartaithe aici, réidh le caitheamh.

'In ainm Dé . . .' Bhí sé ag iarraidh rud éigin a rá nuair a chonaic sé aghaidh an fhir a bhí ag stánadh orthu agus é ag brú a shlí tríd an slua. 'An fear sin,' ar seisean agus an chathaoir rothaí á tarraingt siar aige. 'Duine díobh eisean!'

'Bhí a fhios agam é, bhí a fhios agam é!' a dúirt an fear os ard nuair a tháinig sé fad le Jeiní. 'Tusa Signora Coltello, an Caiteoir Sceana mór le rá!'

Caibidil a Sé

'Bhí sé sin an-suimiúil, a Bhlaoscaire,' arsa Iníon Uí Thuama. 'Agus an amhlaidh a bhuail do sheanathair le Gerry Ryan i ndáiríre?'

'Bhuail, a Mhúinteoir,' arsa an Blaoscaire agus mórtas air. 'Thaispeáin Gerry Ryan dó cá raibh an leithreas in RTÉ.'

D'fhéach an Blaoscaire go smuilceach ar Mhíne agus ar Ruairí sular shuigh sé síos. 'Sáraígí an scéal sin,' a bhí á rá aige. Thug Míne sonc beag do Ruairí agus leath meangadh gáire ar a haghaidh.

'Anois, a Ruairí agus a Mhíne,' arsa an múinteoir. 'Cén scéal atá agaibhse dúinn?'

'Beidh údar gáire againn anois,' arsa an Blaoscaire de sciotaíl.

'Ciúnas!' arsa Iníon Uí Thuama. 'Leanaigí oraibh. Táim cinnte go ndearna sibh bhur ndícheall.'

'Rinne,' arsa Ruairí agus a scornach á réiteach aige. Agus idir é féin agus Míne, d'inis an bheirt acu faoin lá a chaith siad le Jeiní ar an aonach siamsaíochta. Ar dtús thosaigh na páistí eile sa rang ag gáire nuair a chuala siad faoi Jeiní agus í ag tabhairt amach do Ruairí faoi bheith ag stánadh uirthi. Ach faoin am ar chuala siad faoi na heachtraí go léir bhí siad ar cipíní agus iad ag éisteacht go haireach.

'Agus bhí an fear seo ann agus croiméal dubh air. Agus bhí sé ag stánadh orainn an t-am go léir,' arsa Ruairí. 'Bhí an chuma air gur bligeard ceart a bhí ann. Bhí sé dár leanúint timpeall gach áit.'

'Sea, a leithéid!' arsa an Blaoscaire go tarcaisniúil. 'Níl anseo ach bréaga, a Mhúinteoir.'

'Siiss!' arsa an rang go léir d'aon ghuth.

'Ansin nuair a chuamar go dtí an banc chun airgead a fháil i gcomhair burgar agus sceallóg . . .' - lean Ruairí air agus é ag déanamh neamhshuime den Bhlaoscaire - '. . . b'in é arís é, agus é tamall siar sa scuaine, ag stánadh orainn. Mise á rá libh, bhí sé scanrúil go leor.'

'Agus ansin bhí gleo mór ann,' arsa Míne. 'Triúr robálaithe, agus gunna ag duine acu, tháinig siad isteach, phlab siad an doras agus dúirt le gach duine againn luí síos agus ár gcuid airgid a thabhairt dóibh. Is ansin a fuaireamar amach cérbh í Jeiní i ndáiríre.'

Stop sí ar feadh meandair bhig chun ligean don chuid sin den scéal dul i bhfeidhm orthu. Chloisfeá biorán ag titim agus fiche páiste ina suí agus a súile ar leathadh. Lig siad uspóg astu nuair a lean Ruairí ar aghaidh leis an scéal agus é ag cur síos ar Jeiní ag caitheamh na sceana.

'Ffftt, fffttt!' ar seisean. 'Splancacha tintrí ba ea na sceana agus sháinnigh siad

na bithiúnaigh lofa sin. Bhí sé go diail! Ansin léim gach duine orthu agus choinnigh siad greim orthu go dtí gur tháinig na Gardaí. Tháinig an bainisteoir bainc, Bean Uí Riain, amach. Nach í a bhí sásta le Jeiní!'

'Bhí sí thar a bheith sásta linn go léir!' arsa Míne.

'Dúirt Bean Uí Riain go raibh Jeiní tar éis fortún a shábháil ar an mbanc,' arsa Ruairí, 'agus go bhfaigheadh sí cúiteamh mór ón gceannoifig dá bharr.'

'Agus cad faoi bhithiúnach an chroiméil dhuibh?' a d'fhiafraigh duine éigin.

Rinne Ruairí gáire. 'Sin é an fear ar leis an t-aonach siamsaíochta. Bhí a athair i gceannas ar shorcas na blianta ó shin agus bhí Signora Coltello ar dhuine de na réaltaí móra a bhíodh ann. Cheap sé gur aithin sé í ó sheanghrianghraf a bhí ag a athair ach ní raibh sé cinnte de go dtí go bhfaca sé i mbun aicsin í sa bhanc.'

'Bhí sé ann chun lab mór airgid a lóisteáil,' arsa Míne. 'Mar sin, shábháil Jeiní a chuid airgid siúd freisin. Scríobh sé seic ar lear mór euro díreach ar an láthair agus thug di é. Tá raidhse airgid ag Jeiní anois.'

'Agus,' arsa Ruairí, 'dúirt sé aon uair a thiocfaidh an t-aonach siamsaíochta ar an mbaile seo go bhféadfadh sí . . .'

'Go bhféadfaimisne,' arsa Míne. 'Mise agus Ruairí.'

'Go bhféadfaimisne', arsa Ruairí, 'dul ar a oiread spraoi-mharcaíochtaí agus is maith linn – saor in aisce! Agus tá sé tar éis iarraidh ar Jeiní taispeántas caite sceana a thabhairt Dé Domhnaigh seo chugainn.'

Bhí tost iontais sa seomra nuair a chríochnaigh siad an scéal. Ansin:

'Níl ansin ach seafóid, a Mhúinteoir,' arsa an Blaoscaire Mac an Bhaird. 'Chum siad é ar fad, a deirim. Níl ann ach bréaga. Cé a chreidfeadh scéal faoi sheanbhean a chaitheann sceana . . . ?'

Briseadh isteach air nuair a osclaíodh an doras agus tháinig an Máistir de Búrca isteach.

'Gabhaim pardún agat, a Iníon Uí Thuama,' ar sé. 'Tá roinnt daoine mór le rá anseo chun labhairt le do rang.'

Sheas sé i leataobh agus cé a shiúil isteach sa seomra ach an bainisteoir bainc, úinéir an aonaigh, tuairisceoir nuachta, grianghrafadóir agus ar deireadh Jeiní, Signora Coltello, an Caiteoir Sceana Mórchlú, agus ceannfort na nGardaí á brú sa chathaoir rothaí. Iarradh ar Mhíne agus ar Ruairí seasamh in aice le Jeiní fad is a bhí an ceamara ag splancadh timpeall orthu. Glacadh cuid mhór grianghraf ó gach aon taobh díobh. Agus insíodh an scéal arís mar a bheadh físeán á thaispeáint.

'Bhuel, a thiarcais,' arsa Iníon Uí Thuama. 'Tuilleann an scéal sin réalta órga, cinnte.'

'Lán na spéire de réaltaí órga, a bhean,' arsa Jeiní. 'Mura mbeadh an bheirt seo ní bheinnse in aon ghaobhar don bhanc agus bheadh na robálaithe sin in áit éigin ag sú na gréine anois seachas sa phríosún mar a bhfuil siad. Agus a chonách sin orthu! Bhí toradh maith, mar sin, ar an tionscadal buile sin agat.'

'An tionscadal bu- . . .'. D'fhéach Iníon Uí Thuama le rud éigin a rá.

'Beidh saorchead isteach ag gach duine Dé Domhnaigh seo chugainn,' arsa úinéir an aonaigh go tapa.

'Ó, bhabha!' Lig an rang go léir liú athais. Agus ba ag an mBlaoscaire agus ag Bab an liú ba mhó.

'Agus tá bhur múinteoir álainn san áireamh ansin chomh maith,' arsa

úinéir an aonaigh. Chaoch sé súil ar Iníon Uí Thuama agus las a grua.

'Cad a dhéanfaidh tú leis an airgead go léir a gheobhaidh tú, a Signora Coltello?' a d'fhiafraigh an tuairisceoir.

'Glúine nua a fháil ar dtús,' arsa Jeiní. 'Agus iad déanta as an miotal is fearr dá bhfuil ar fáil. Beidh mé in ann iad a mhaisiú le maighnéid chuisneora. Ó, agus seomra mór scóipiúil i dTeach Altranais Naomh

Ciarán sa chaoi is go mbeidh mé in ann slua mór de mo chairde a bheith istigh agam,' ar sise agus í ag féachaint ar Ruairí agus ar Mhíne.

'Ach beidh sí sa bhaile againne go minic. Is Mamó nua agam féin agus ag Ruairí í,' arsa Míne agus bród uirthi.

Chuir Bean Uí Riain, an Bainisteoir Bainc, cogar i gcluas Jeiní: 'Agus ná déan dearmad ar Eurodisney.'

'Ó, sea,' arsa Jeiní agus í ag gáire, a dhá lámh sínte amach i dtreo Ruairí agus Mhíne aici. 'Tá muintir an bhainc chun íoc as seachtain dom féin agus do mo bheirt chairde, Ruairí agus Míne, in Eurodisney.'

D'fhéach Ruairí agus Míne ar a chéile. Ní fhéadfaidís é a chreidiúint.

'Go diail!' arsa Ruairí. 'Tá sé seo go diail ar fad! D'fhéach sé ar ghéag Jeiní agus chonaic sé go raibh tatú ón rosta go dtí an uillinn uirthi. Tatú de dhragan a bhí ann.

GLUAIS

a chonách sin orthu! *serves them right!*
a thiarcais *goodness gracious!*
abhaits *ouch*
acmhainn *resource*
    ní hacmhainn dom *I can't afford*
agallamh *interview*
aibhinne *avenue*
aiféala *regret*
ainnise *misery*
aithris *imitation*
amhail *as though*
aonach siamsaíochta *fun fair*
ar cipíní *on tenterhooks*
básachán *feeble creature*
balbhán *dumb person*
bhabha! *wow!*
bithiúnach *scoundrel*
boc *bucko*

burgar *burger*
brúitín *mash*
buile *crazy*
builín *loaf*
caiteoir sceana *knife thrower*
cáithníní *goose pimples*
caoch *wink*
ceannfort na nGardaí *Garda Superintendent*
cipíní, ar cipíní *on tenterhooks*
cnapán *lump*
comhtharlú *coincidence*
cráite *tormented*
croiméal *moustache*
cuisneoir *fridge*
cúiteamh *compensation*
cúlú *wiggle out*
diail, go diail! *excellent!*
díoscánach *creaking*
dlúthbhearradh gruaige *tight hair-cut*
dorchla *corridor*
dragan *dragon*
drochmheasúil *contemptuous*
easna *rib*
fabhtach *faulty*
faoiseamh *relief*

flíp *a blow*
folt gruaige *head of hair*
fuist! *hush!*
galar marfach *deadly disease*
gaobhar, in aon ghaobhar *anywhere near*
geonaíl *whining*
gleo *hullabaloo*
gliogar *rattle*
gnúsacht *grunt*
grainc *look of disgust*
gríosaigh *encourage*
gríoscán *grill*
grod *gruff*
grua *cheek*
gunna gráin *shot-gun*
iontaoibh *trust*
lab *large amount*
leadránach *boring*
leathshúil *one eye*
liú *yell*
loinnir *glint*
lóisteáil *lodge (money)*
maighnéad *magnet*
mailíseach *malicious*
mala *eyebrow*

mantach *gap-toothed; toothless*
meandar *little while*
meangadh *smile*
méaróg éisc *fish-finger*
meatachán *coward*
meigi-réaltóg *megastar*
mias *dish*
míogarnach *dozing*
muc ar gach mala *frowning*
muinchille *sleeve*
muirneach *loving*
oidhre *heir*

ní raibh aon oidre air ach iasc órga
he looked just like a gold fish

osán *leg of trousers*
osna *sigh*
paltóg *thump*
planc *wallop*
pluc *cheek*
popréaltóg *pop-star*
púicín *mask*
raidhse *lots, plenty*
raon raidhfilí *rifle range*
ruaille buaille *ructions*
sáinnigh *corner, trap*

sceallóga *chips*
sciotaíl *giggle*
scóipiúil *spacious*
scraiste *good-for-nothing*
scuaine *queue*
seafóid *codology*
seanchailleach *old hag*
seanmóireacht *preaching*
seanóir *old person*
searbhasach *sarcastic*
sméid *nod*
smuilceach *snooty*
smut *face; 'kisser'*
sponc *courage*
spraoi-mharcaíocht *fun-ride*
sracfhéachaint *glance*
staic, rinne staic de, *he was dumbstruck*
stánadh *staring*
stiall *cut*
straois *grin*
stuama *level-headed*
stumpa *eejit*
taibhreamh *dream*
tairneáilte *nailed*
tarcaisniúil *insulting*

tatú *tatoo*
teach altranais *nursing home*
téana ort *come on*
teann *press closer*
th'anam 'on diabhal! *your soul to the devil!*
tionscadal *project*
togha! *great!*
truacánta *piteous*
uibheagán *omelette*
uspóg *gasp*